U0065457

# 耶誕快樂貓巧可

文 王淑芬
圖 尤淑瑜

耶誕節這一天，貓巧可約了好朋友們一起到家裡過節。他們已經討論過，計畫要進行幾個節目。其中，最重要的節目，是拆開耶誕樹上的禮物，是很特別的「一人一句」卡片。

「一人一句」的意思是，每個人事先為參加者寫一句「最適合送給你」的祝福，而且這句祝福，是從書裡讀到的。

比如，去年貓小花送給貓小葉的「一人一句」，是「我永遠愛你。」害得貓小葉當場感動得大哭。這句話是出自一本圖畫書，就叫做《我永遠愛你》。

貓小乖是第一次參加，不過，他本來就喜愛閱讀，所以，反而興高采烈的幫貓小葉找到許多句子。上個星期，他便約了貓小葉到圖書館找靈感。最後，在幾本詩集中，找到句子，寫好卡片。

耶誕節一早，吃過美味餐點，三位訪客便站在貓巧可家門口，滿臉笑容的準備度過一個歡樂節日。

「等等我！等等我！」從遠方傳來一個低沉卻響亮的聲音。

　　貓巧可正打開門，四個人一起轉過頭去，看著遠處越走越近的身影。

　　是大象先生。

「好喘，好喘。」大象先生一面深呼吸，一面笑咪咪的向大家打招呼。「親愛的貓巧可，好久不見。」

的確，大象先生很久以前，曾經因為一個困擾他的問題，來請教過貓巧可。當時，身體過於龐大，進不了貓巧可家的門，他們只好坐在屋外的草地，解決問題。

現在呢？大象先生更高更大了，顯然沒辦法邀請這位忽然出現的訪客進門。

貓小葉問：「大象先生為什麼來貓村？」

「那是因為我想念貓巧可，所以，貓巧可應該也正在想念我。」大象先生一點也不客氣的回答。

其實，貓巧可心裡明白，一定是大象先生又得罪朋友，沒有人想跟他一起過耶誕節。

貓小花皺起眉頭：「可是，大象先生進不去呀。」

「沒問題，我們可以坐在草地。」大象先生又自作主張，提出建議。

可是，沒有人想坐在草地上。屋子裡有巧可媽媽烤好的蛋糕，與香濃的牛奶。還有，耶誕樹在屋子裡，布置得很漂亮，難道要搬出來？

「哎呀，不行不行。好不容易把耶誕樹掛滿一人一句卡片，還請小乖的大哥和二哥幫忙固定在樹上，不能說搬就搬。」貓小花立刻反對。

大象先生倒是有方法，他說：「沒關係，你們進去。只要把門打開，我坐在門口，一樣看得到。」

於是，四個人走進屋子裡。貓小乖馬上脫掉帽子與手套，走到書櫃前，大喊：「只有一個字可以形容：書更多了。」

他們先喝飲料，再吃餅乾，還唱歌、跳舞。貓小乖與貓小葉也表演了一段笑話，逗得其他兩個人笑哈哈。連坐在門口的大象先生也笑得噴出一鼻子鼻涕。

準備開始玩一人一句了。四個人輪流取下耶誕樹上的卡片，將卡片上的句子念出來。大家都讀得好用心，因為卡片上的一人一句，是美好的祝福。

門口的大象先生小聲的說：「你們可以讀大聲一點嗎？我有點兒聽不見。」

而且，大象先生一直縮著脖子，好像有點兒冷。

貓巧可走到門口，摸著大象先生的鼻子：「你家有耶誕樹嗎？」

大象先生點點頭，大叫：「不但有，而且又高又大，還掛滿亮晶晶的燈泡。」他低下頭來，又說：「我布置了好久，想給朋友一個驚喜。」

大象先生又忘了，他得先交朋友，才能邀請朋友到家裡欣賞耶誕樹啊。看來，練習如何好好的跟別人相處，也得慢慢來，需要花時間的。

貓巧可做出決定：「今年，換我們到大象先生家過耶誕節吧。而且，去大象家的路上，正巧可以在大象先生的背上，寫一人一句送給他。」

這個主意真是太好了，巧可媽媽拿出籃子，裝滿食物，還將所有的卡片取下來。大家坐在大象先生背上，出發！

最興奮的，應該是貓小乖了，他大聲喊著：「這是我第一次在大象家過耶誕節，第一次寫卡片給大象先生。只有一個字可以形容啊！」

大象先生家的耶誕樹，已經一閃一閃的亮著，等著迎接所有的好朋友呢。

# 貓巧可的耶誕節想一想

耶誕節原本是宗教節日，但是這個節日充滿了和平、感恩、祝福的美好精神，所以，就算不是教友，也能在這個佳節裡，感受溫暖。

貓巧可的耶誕節，提醒我們應該敞開心胸，除了關心原本就很要好的朋友，對陌生人一樣可以適度給予關懷。如果大家都自私的只顧自己，世界會變成許多小圈圈，怎麼可能相親相愛，世界和平呢？

耶誕節帶來快樂，也帶來思考。怎樣才是真的快樂？要不要讓別人也快樂？最好的耶誕禮物，是很貴的、很好玩的、很好吃的，還是什麼呢？

## 動手做

# 貓巧可耶誕卡

跟著影片輕鬆完成

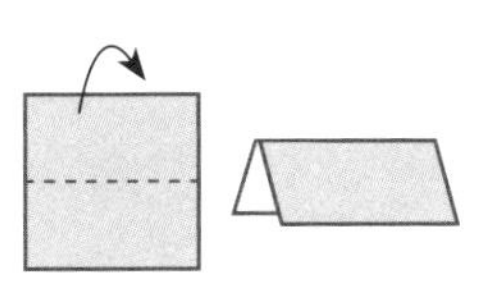

山線 - - - - - - - - - - - -

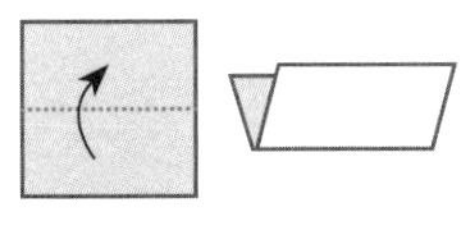

谷線 ............................

❶

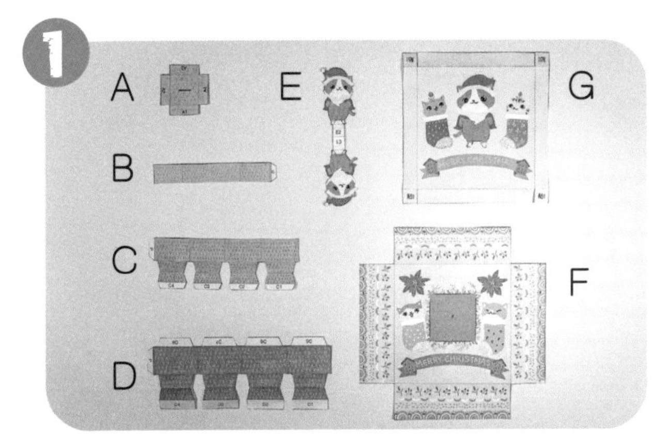


撕下圖樣。

❷

每層皆依虛線摺一摺，並將 - - - - - - - 摺為山線，............ 摺為谷線。

❸

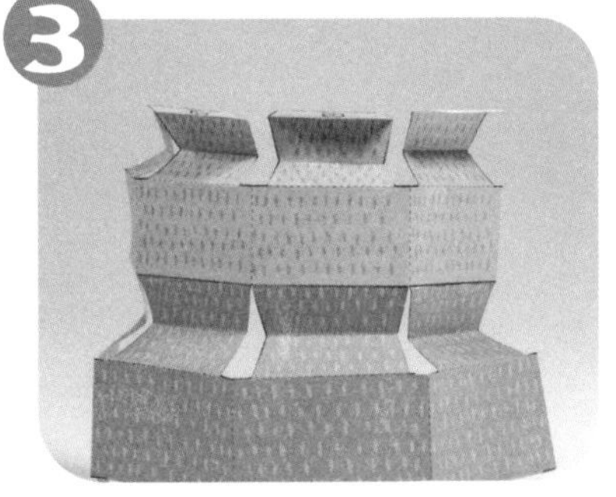

黏貼邊塗膠，將 D1 ~ D4 與 C 的底層貼合。可從背面較易黏貼。

❹

C1 ~ C4 與 B 的底層貼合。

5

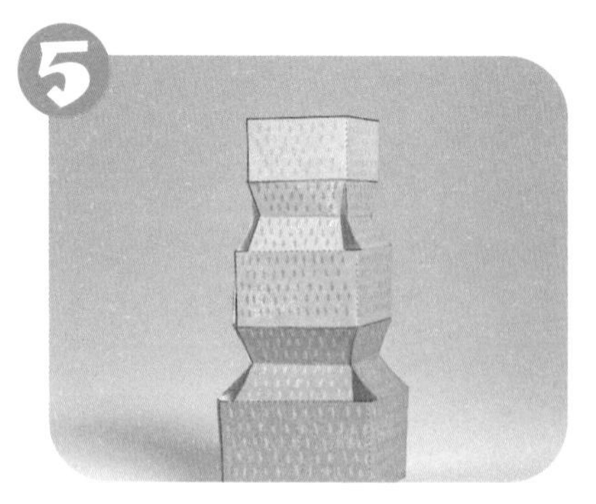

在三個 P 塗膠，黏貼成四邊形。由上而下貼。

6

把 E 對折，只貼合貓巧可部分，並將下方剪開。

7

把 E1、E2 穿過 A 中間的洞口後，E1、E2 分別在左右兩邊貼合。

8

把 A 的四邊向下摺，在 A1 ~ A4 塗膠，黏在 B 的內側。

9

依山線與谷線摺好，可全部往下壓到底。

10

將 D5 ~ D8 分別穿過 F 中間的四個洞口。

**11**

D5～D8 穿入後在背面貼合。

**12**

把 G 的四個角貼合，做成盒蓋，完成耶誕盒。

**13**

可剪下裝飾，貼在外盒上。

**14**

拉著 E 向上或向下，就能變成可伸縮的耶誕卡。

**15** 完成！

耶誕樹不一定要用真的樹，或去買裝飾用的樹；不妨想想有什麼創意的替代設計？比如，有些圖書館會在耶誕節時，以書本排出耶誕樹的樣子。

# 動手做

# 貓巧可扭扭盒

1

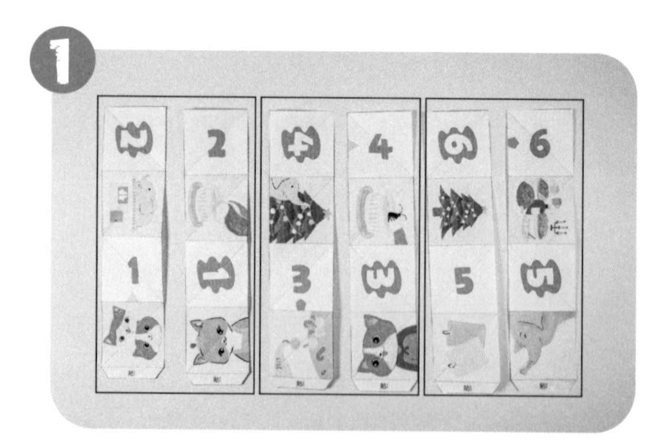

撕下圖樣。每個盒子需要 2 張紙條，同編號為一組。

2

將每張圖上的 -------- 都摺為山線， ·········· 都摺為谷線。

3

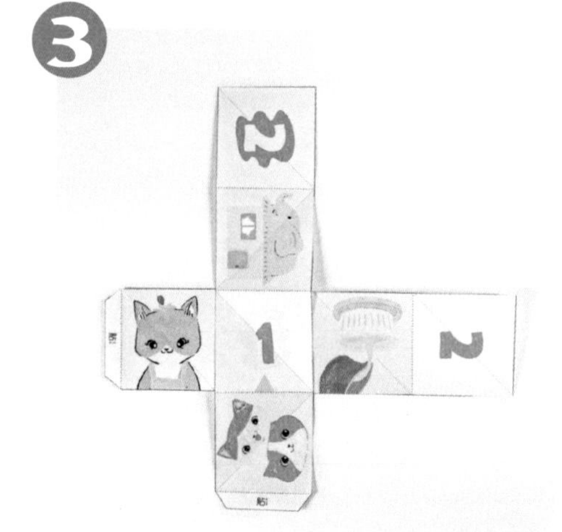

先將兩張紙的數字 1 ，以十字型對齊重疊後，在 3 塗膠貼合。

4

黏貼橫條的盒子。

5

將兩張紙的數字 2 對齊重疊後，在 塗膠貼合。

6

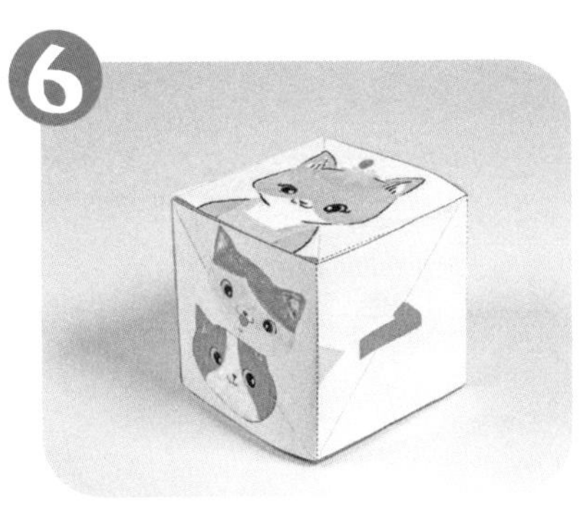

最後一道黏貼邊貼在盒子內側。

7

順著摺好的谷線，可扭成扁平狀。

8

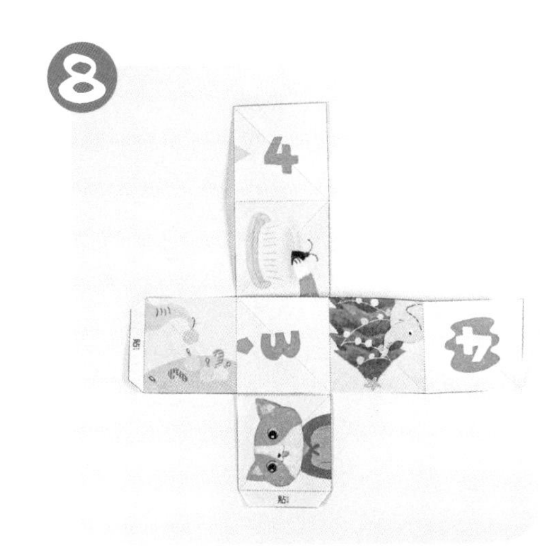

第 2 個盒子的做法相同。

9

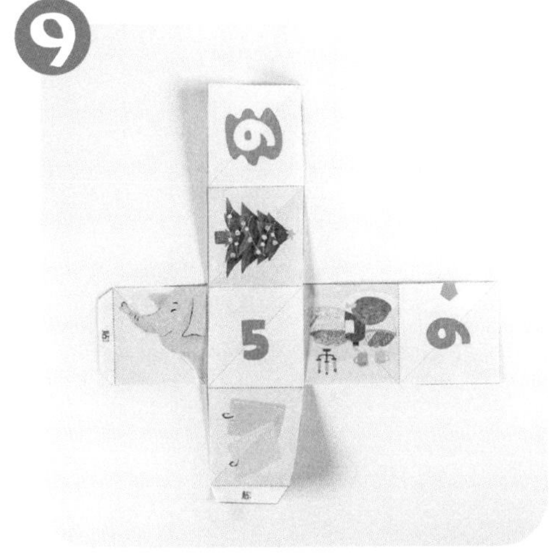

第 3 個盒子的做法相同。

**10**

將兩個紙盒的△對齊重疊，塗膠後面對面貼合。

**11**

將兩個紙盒的⬟對齊重疊，塗膠後面對面貼合。

**12**

另準備較厚的紙板當封面與封底。

**13**

自己彩繪好封面與封底後，貼在**2**和**5**上。

**14**

全部扭開時，呈一排立體紙盒，可以玩看圖說故事。

**15**

再反方向扭回時，可壓扁。

**16** 完成！

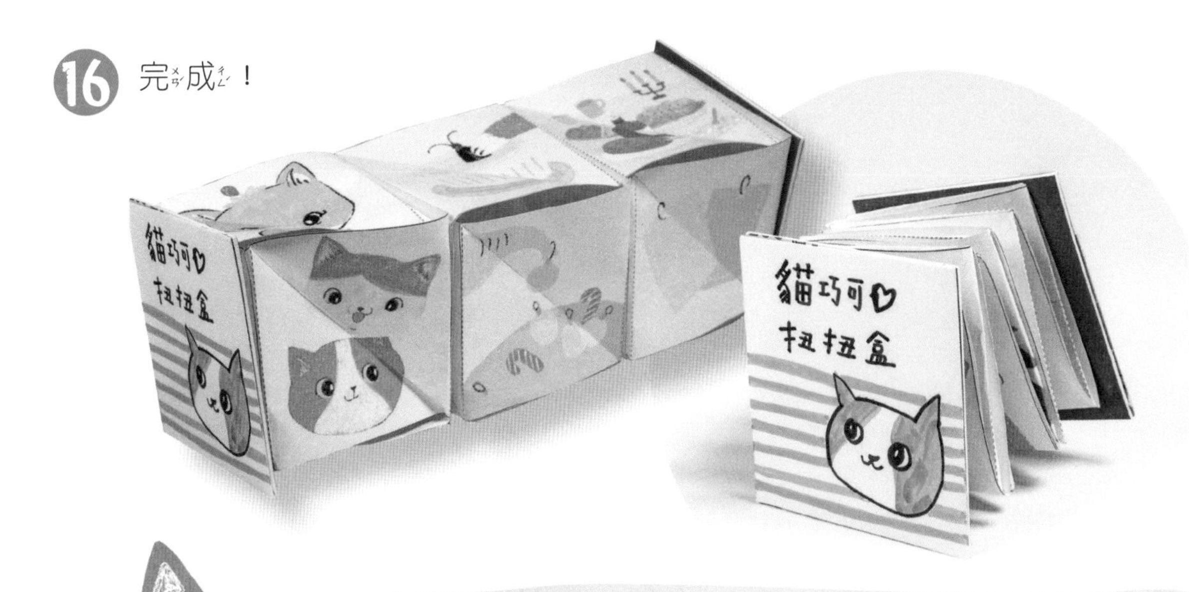


## 動手也動腦

根據扭扭盒上的圖，編一個跟耶誕節有關的小故事。他們對彼此說些什麼？正在想什麼？準備做什麼事來慶祝耶誕節？

寫下你的想法！

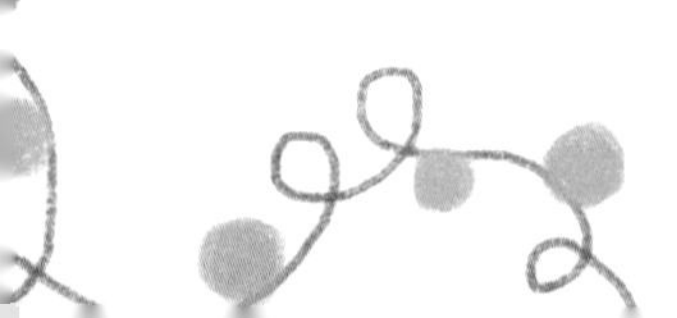

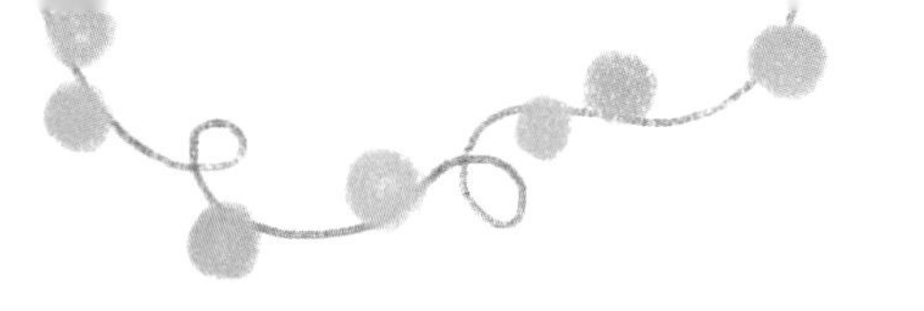
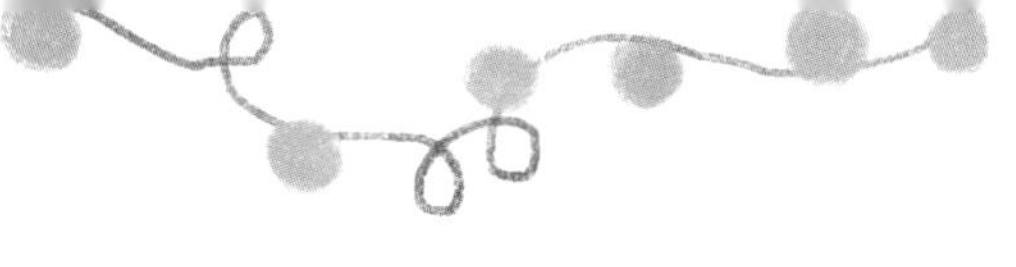

國家圖書館出版品預行編目（CIP）資料

愛思考的貓巧可 節慶禮物書：貓巧可耶誕快樂 / 王淑芬文；尤淑瑜圖. -- 第一版. -- 臺北市：親子天下股份有限公司，2021.12
28 面；21.5*24.5 公分
注音版
ISBN 978-626-305-118-8（平裝）

863.596　　　　110018571

愛思考的貓巧可：節慶禮物書

# 貓巧可耶誕快樂

文・手作紙卡設計｜王淑芬　圖｜尤淑瑜

責任編輯｜張佑旭　美術設計｜韋田工作室　封面設計｜曾偉婷　行銷企劃｜王予農
天下雜誌群創辦人｜殷允芃　董事長兼執行長｜何琦瑜
兒童產品事業群
副總經理｜林彥傑　總監｜黃雅妮　版權專員｜何晨瑋、黃微真

出版者｜親子天下股份有限公司　地址｜台北市 104 建國北路一段 96 號 4 樓
電話｜（02）2509-2800　傳真｜（02）2509-2462　網址｜www.parenting.com.tw
讀者服務專線｜（02）2662-0332　週一～週五：09:00~17:30
傳真｜（02）2662-6048　客服信箱｜bill@cw.com.tw
法律顧問｜台英國際商務法律事務所・羅明通律師
製版印刷｜中原造像股份有限公司
總經銷｜大和圖書有限公司　電話：（02）8990-2588

出版日期｜2021 年 12 月第一版第一次印行
定價｜250 元　書號｜BKKP0290P　ISBN｜978-626-305-118-8（平裝）

訂購服務
親子天下 Shopping｜shopping.parenting.com.tw
海外・大量訂購｜parenting@cw.com.tw
書香花園｜台北市建國北路二段 6 巷 11 號　電話（02）2506-1635
劃撥帳號｜50331356　親子天下股份有限公司

立即購買 >

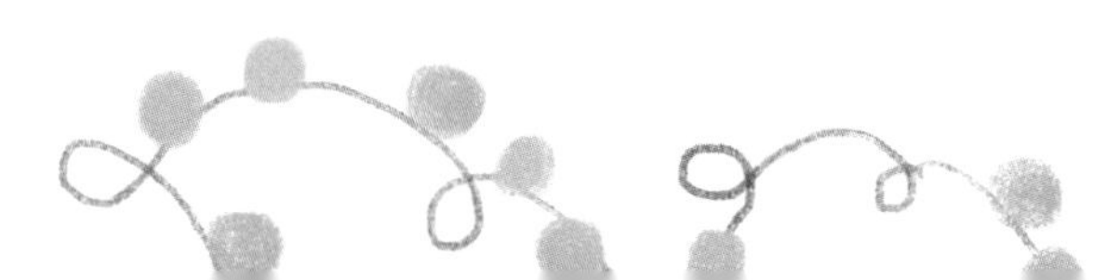
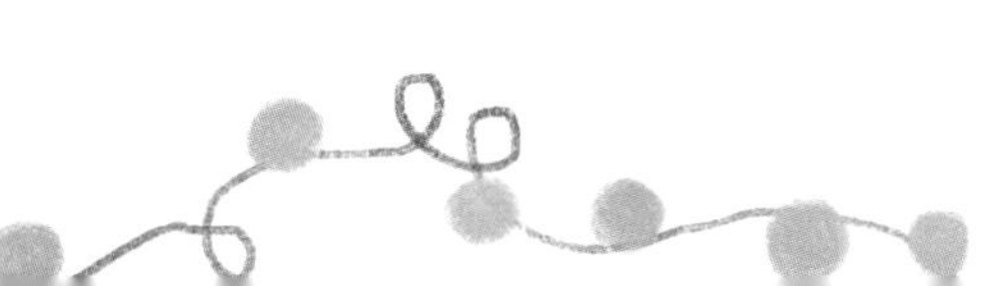
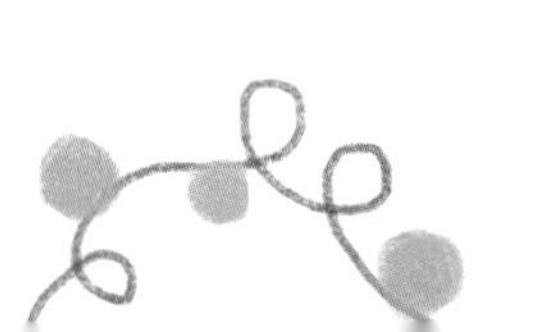

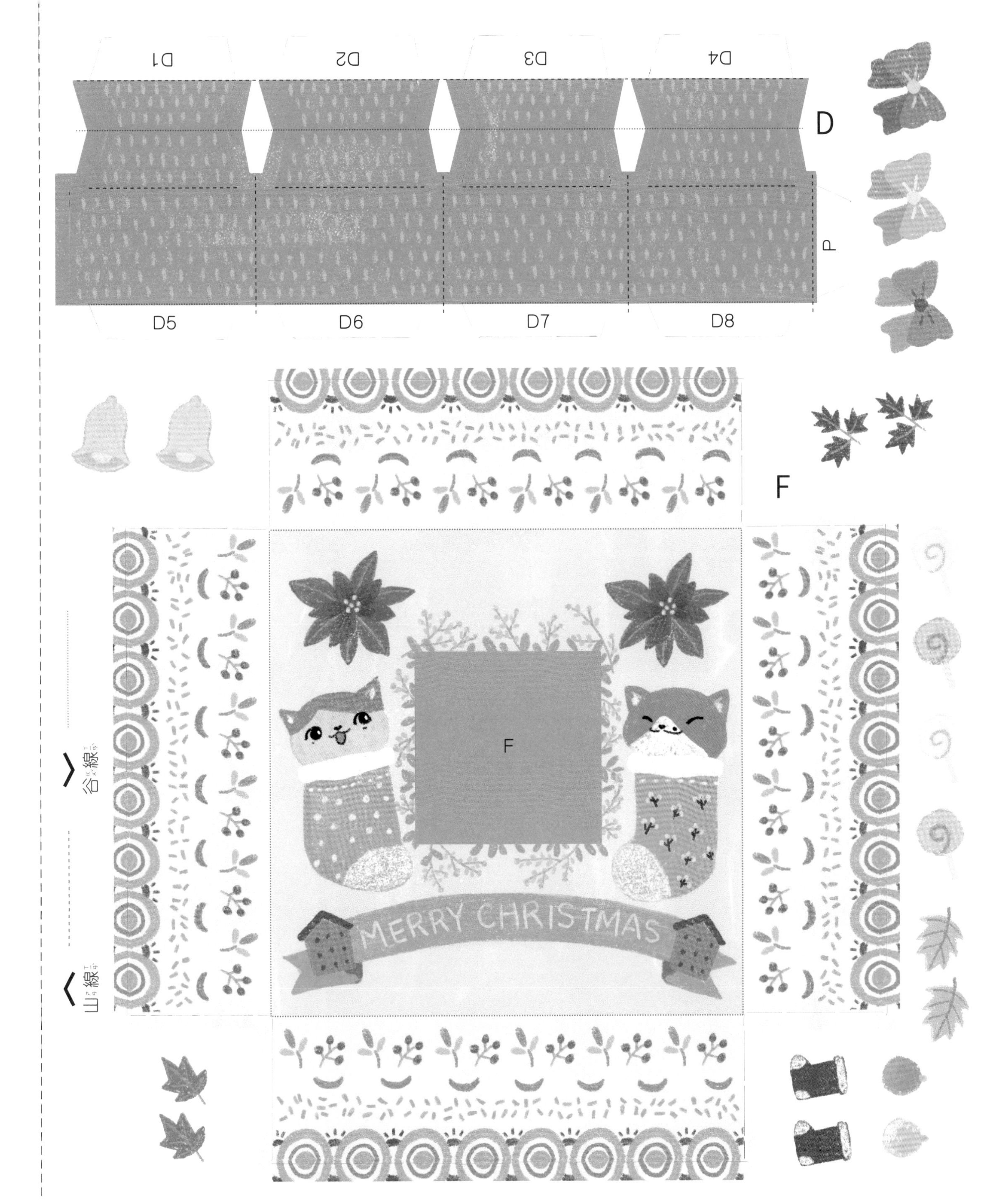
D1
D2
D3
D4
D
P
D5
D6
D7
D8
F
F
MERRY CHRISTMAS
谷線
山線

MERRY
CHRISTMAS
B
P
C1
C2
C3
C4
C
P
A
A1
A2
A3
A4
山線
谷線
G
貼
貼
MERRY CHRISTMAS
貼
貼
E1
E
E2

山線
谷線
塗膠
貼
貼
貼

山線
谷線
塗膠
貼
貼
貼